"亮丽内蒙古"文化普及口袋书

大美草原

田宏利◎编著

内蒙古人民出版社

图书在版编目（CIP）数据

爱上内蒙古．大美草原 / 田宏利编著．— 呼和浩特：内蒙古人民出版社，2021.10
（“亮丽内蒙古”文化普及口袋书）
ISBN 978-7-204-16895-8

Ⅰ．①爱… Ⅱ．①田… Ⅲ．①内蒙古－概况②草原－介绍－内蒙古 Ⅳ．①K922.6 ②P942.267.5

中国版本图书馆 CIP 数据核字（2021）第 216391 号

爱上内蒙古·大美草原

作　　者　田宏利
策划编辑　王　静
责任编辑　段瑞昕
封面设计　吉　雅
出版发行　内蒙古人民出版社
地　　址　呼和浩特市新城区中山东路 8 号波士名人国际 B 座 5 楼
网　　址　http：//www.impph.cn
印　　刷　内蒙古恩科赛美好印刷有限公司
开　　本　889mm×1194mm　1/48
印　　张　2.1
字　　数　41 千
版　　次　2021 年 10 月第 1 版
印　　次　2023 年 2 月第 1 次印刷
书　　号　ISBN 978-7-204-16895-8
定　　价　10.00 元

编 委 会

『亮丽内蒙古』文化普及口袋书

开 电子书库

阅读本丛书全部电子书，全方位了解内蒙古。

看 纪录片

从影视作品中了解内蒙古的历史文化。

赏析 蒙古族长调艺术

聆听蒙古族长调民歌，带你领略蒙古族音乐的独特魅力。

旅行交流圈

聊聊你眼中的内蒙古。

微信扫码

序

内蒙古是一个走进去就会爱上她的地方。

这里有辽阔壮美的天然草原——呼伦贝尔草原无边无际，科尔沁草原绿草如茵，鄂尔多斯草原草长莺飞，阿拉善荒漠草原苍茫神秘；有我国面积最大的原始林区——大兴安岭林海莽莽苍苍，美景如画；有生态类型多样的世界地质公园——阿尔山世界地质公园里有亚洲面积最大的火山地貌景观，克什克腾世界地质公园是我国北部环境演化的自然博物馆，阿拉善沙漠世界地质公园中的沙漠景观、戈壁景观、峡谷景观和风蚀地貌景观交相辉映。

这里也是“歌的海洋”“酒的故乡”“舞蹈的天堂”——一首首歌曲犹

如一泓清澈的甘泉，从苍茫遥远的天边流泻而来；一杯杯美酒醇香甘甜，醉人心田；一支支舞蹈激情澎湃地舞动着青春的活力，舞动着生命的力量。这里还有丰富多样、风味独特的美食佳肴，有悠久灿烂的地域文化及独具魅力的民俗风情，有蒙汉合璧、别具匠心的宏伟建筑，有革命历史文化底蕴深厚的庄严肃穆的红色旅游胜地……

这些都是内蒙古以昂然之姿向世人展示自己的美丽的底气。这套《“亮丽内蒙古”文化普及口袋书》策划的初心和使命，就是从自然景观、人文景观、民俗文化、地域文化、饮食文化及红色旅游、城区建设等多个方面展现内蒙古自治区的亮丽风采以及各族人民在中国共产党的正确领导下，始终坚定地沿着中国特色社会主义道路奋勇前进，共同团结奋斗、共同繁荣发展的崭新时代风貌。

假如这般如诗如画的美景和悠久璀璨的历史文化还不足以打动你，那么，请到内蒙古来吧，生活在这片土地上的勇敢、诚信、友善的各族人民将带你深入领略内蒙古经济发展、社会进步、文化繁荣、民族团结、边疆安宁、生态文明、人民幸福的亮丽风景线，为你提供N个爱上内蒙古的理由。

扫码查看
★同系列电子书
★内蒙古纪录片

目 录

城中草原赛汗塔拉

包头是一个城市中有草原、草原中有城市的地方，这草原就是位于包头市的赛汗塔拉草原。

赛汗塔拉草原是一处以湿地为主的

赛汗塔拉草原入口地标

草原，草原的深处长着齐人高的芦苇，乘车而行，路边时有绿荫遮蔽，时有红柳夹道，微风拂来，草香扑鼻、凉爽宜人。一簇簇的红柳，在满目的葱翠中，有如跃动着的火焰。

包头拥有广阔的城市空间，也许正因为如此，它才如此心安理得地包容着浑然天成的赛汗塔拉草原，以至于人们把这草原叫成了“都市草原”。说是都市草原，其实它是真正的草原。

草原上的夏季，会经常在午后遭遇一场猝不及防的雨，赛汗塔拉草原上的雨，说来就来。就在你刚刚还为那海市蜃楼般的幻景而忘情之时，就会感觉到有一阵紧似一阵的劲风吹来，天空上飘来的那些云朵，聚聚散散地变换着颜色，有隐约的雷声开始传来。随着雷声渐近，一道劈开云层的蛇形闪电闪过，便有一个响雷在头顶上炸响，倾盆大雨劈头盖脸地浇了下来。

草原上的雨就是如此奇特，一阵急雨过去，雨便顷刻间停住，头顶的云层忽然裂开一道缝隙，一缕阳光如柱般地斜射下来，水灵灵的青草间，有丝丝缕缕的金光散射着。转瞬间浮云飘去，又恢复了晴空万里。

午后的阳光照着整个草原，前方不远处时常会有一只小田鼠，从茸茸的草丛中探出头来；偶尔又会有鸟儿从草丛中飞起，像箭一般地刺向天空，留下一串清脆悦耳的鸣啭，转瞬不见了踪影。

是自然的和谐与生命的共鸣，构成

赛汗塔拉草原一隅

了这雨后的赛汗塔拉草原的美景。回望东方的天空，一道彩虹横空而出，将那远方城市中的高楼大厦，和这眼前的草原神奇地链在了一起，让人忍不住惊喜和赞叹。

在这辽阔的天空下，草原与城市、斜阳与彩虹，感染着每一个来到这里的人，把都市人的浮躁和焦虑隐藏起来。

当生活在拥挤嘈杂中的都市人相继涌向远离城市的大自然中，去寻觅这人间美景，却又因时机不对悻悻而归之时，鹿城人却能够天天享受这般美景，直让外地的游人们心生妒意。

城市很远，草原很近，天蓝蓝的，白云碧野相映，城市草原相连，夏日轻风相谐，人影草色相融。人在赛汗塔拉，灵魂就飘荡在这无边的草原上。

《鸿雁》响起的地方乌拉特

乌拉特草原位于内蒙古自治区巴彦淖尔市乌拉特中旗、乌拉特前旗、乌拉特后旗三旗境内，地处阴山北麓，这片草原孕育了多个古代北方民族，留下了悠久灿烂的文化，这里还是一曲《鸿雁》唱起的地方。

驱车在草原上行驶，道路仿佛没有尽头，随着车子的行驶，草原一片苍茫，天上的云越来越少，视野里渐渐充满了蓝色。

草原上暮归的牛羊

夏日乌拉特草原的清晨，一望无际的草原被阳光照射着，偶有一群牛羊出现，让人感觉在这地广人稀的广袤草原上，它们才是真正的主人。

广阔的乌拉特草原上没有山，西边的天空与地平线相连。

车子在草原上行驶很长时间，才会看到一处牧民的房屋。草原深处的房屋屋顶上升起的袅袅炊烟，温情也温馨。

在乌拉特草原上，一般是先看见羊群，随后才会看到牧民的房屋。在这到处都是绿色的草原上，若不留意，是很难发现牧民房子的，这里牧民的房子一般不挨着路边，而是隐藏在草原的深处。

现在乌拉特草原上的牧民都定牧定居了，固定的房子代替了流动的蒙古包，周围的草场便是他们的放牧之地。草原上有蒙古包的地方，大多不是牧民们居住的地方，而是草原旅游度假村一类的旅游设施。

车行驶在乌拉特草原上，头顶是万

里晴空，脚下是青青草地，苍穹如盖，碧野如毡，能看见在东南方天边阴山的影子。

天边云朵的颜色在缓慢地变化着，由雪白色慢慢地变化为橘黄色。傍晚时分，在草原的深处，一排排风车被余晖照射着，远远望去，十分壮观。

驱车在夕阳下的草原上，橘红色的夕阳，就落在身后草原远方的地平线上，把车子的影子拉得很长。

站在草原上远眺，红彤彤的夕阳仿

草原上的风车

佛落在了西边的草原上，天空中没有一缕云丝。俯下身子将视线与地平线拉平，夕阳就在那青草间，这个时候，能感觉到夕阳很近，似乎伸手就能碰到。

乌拉特草原上的落日，将天边的云燃烧，也将头顶的万里晴空燃成一片淡紫色，在草原上悠闲漫步的羊群被夕阳镀上了金色，夕阳下的乌拉特草原恍若仙境。

最美『屏保』达茂

每个人的心中都会有一个“屏保”情结，而人们心中的最美“屏保”，莫过于辽阔美丽的大草原，这片一望无际的大草原，就在我们美丽的内蒙古。

天地有多辽阔，这里就有多宽广，这里的天空，蓝到看不见一丝杂质，这里的草原，辽阔到模糊了视线的边界。这里有骏马自由驰骋，这里有牛羊悠闲

达茂草原地标

漫步，这里有草原上的牧人们引吭高歌，这里的美，让你忘记回家，让你将心中对自由辽阔的向往，在这里尽情释放……

清初，清政府置达尔罕贝勒旗和茂明安旗，20世纪50年代两旗合并，称“达尔罕茂明安联合旗”（简称达茂旗），旗政府所在地为百灵庙。

从包头市出发去达茂旗，过了固阳就进入草原了。固阳附近是希拉穆仁草原，而进入达茂旗百灵庙镇，就是达茂草原了。前者属于乌兰察布草原，后者属于乌拉特草原。从固原往南是阴山山脉，草原上裸露出大片大片的沙土地。而进入达茂旗境内，便能看到成片的草原了。

进入达茂旗境内，草原就很茂盛了。途中经过希拉穆仁河，河水不是很大，青青河边草，茵茵草原路，盛夏时节的达茂草原碧野一片。

广袤的达茂草原是一片古老而神奇的土地，大自然的鬼斧神工，不但在这里创造出了茫茫的草原，而且还创造出了河谷湖泊和沟壑石林。

达茂草原虽然没有内蒙古东部草原的繁花似锦，但这里的草原更加苍凉辽阔，在这里放歌牧野，是那么祥和、那么宽广。

夏日的达茂草原，向游人们展示着一年中最美丽的容颜。

走进齐膝深的青草中，可以看到一片片白色的野韭菜花，再仔细看，中间还夹杂着黄、紫、蓝、粉等五颜六

达茂草原上的旅游度假村

色的细碎小花，丽日轻风中，淡淡的花香扑面而来。

眼前这片广阔无垠、连天接地的大草原，如绿毯，铺天盖地；似碧海，没有尽头和边界。感觉这里的草儿，绿到了天涯，这里的花儿，连接着天堂。

这就是草原无声的歌、迷人的诗、难忘的梦。站在青草之中，草原上的风儿轻轻吹拂着，把人的衣襟与周遭的花草一起掀动。

万顷碧野希拉穆仁

希拉穆仁草原位于内蒙古自治区包头市达尔罕茂明安联合旗。“希拉穆仁”蒙古语意为“黄色的河”，当地人喜欢把希拉穆仁草原称为“召河”。“召河”中的“召”，指的是草原上的喇嘛庙普会寺，它原是席力图召六世活佛的避暑行宫，“河”就是希拉穆仁河。

每年的 7 月底 8 月初，是希拉穆仁

希拉穆仁草原上的度假村

草原最美的季节。草原上的路，看不见尽头；草原上很静，阳光很灿烂。天空那么蓝、那么低，似乎伸手就能拽下几片白云。

希拉穆仁草原在内蒙古地区属于开发较早的草原旅游区，建有很多设施完备的旅游接待点。接待点内一片一片的白色蒙古包，仿佛散落在草原上的珍珠。

夏日的草原向游客们展示着它一

年中最美的容颜。仰面躺在茂盛的青草里，无边无际的蓝天笼盖着四野，游来游去的云朵似乎能摩挲到自己的脸庞，分不清是人在蓝天白云的怀抱里，还是蓝天白云在人的怀抱中，任凭风的抚弄，尽情享受着草的温柔和花的芬芳。在这美丽的希拉穆仁草原上，人与自然合二为一。

这里的草种与其他草原的草种不一样，远远地看，草原上泛着一片淡淡的白色，走近了仔细看，那是正在结出的

希拉穆仁草原

草籽的颜色。

在草原上，天上有歌，地上有歌，云中有歌，水中有歌。草原上有唱不尽的歌，即使是不会唱歌的人到了草原上，心中也会有歌。

草原漫漫，歌声悠悠，心中有一首歌——在这草原最美的季节，陪你一起看草原。

避暑胜地格根塔拉

从四子王广场一路向北，出乌兰花不远，眼前就是一望无际的格根塔拉草原。

内蒙古高原夏日的午后，阳光从湛蓝的天空上毫不吝啬地照射下来，天空上有成簇的云朵在悠闲地相互追逐着，把一片片的云影投向万顷碧野。

是云影在游走，还是青草在浮动，已无法分辨，只感觉草明草暗、天光云影，

格根塔拉草原旅游区（一）

奇幻般地铺展开。

草原、羊群，或远或近处，如珍珠般散落着的蒙古包，把这草原衬托得极具烟火气。

天空湛蓝，满眼是云；大地碧绿，满眼也是云。在那天地相接、花草相连的背景底布上，到处都是云朵们漂浮的身影。

这高原就在午后浮云的轻柔抚慰中，安然地进入梦乡。在这蓝天碧野间，让人想立刻跳下这疾驶的车子，忘情地扑

向草原，然后在这午后温暖的阳光里，枕着青草入梦，梦里依旧是绿色一片。

或许，只有被这毫无杂质的绿色过滤之后，人才会变得通透，会经得住都市里的诱惑，坚守内心深处的那一份纯真。

这个时节最适合约上二三知己，徜徉在辽阔的草原上，感受这草原的宁静。

或清晨或黄昏，踏着草原上的青草，徜徉在蓝天白云之下，漫步于绿草碎花之上，游走在湖泊河流之畔，出没于羊

格根塔拉草原旅游区（二）

群毡包之间，无须太多的言语，只要静静地品味那一份静谧与坦然，听长风诉说那天上的流云，看流云的影子把那万顷碧野掩映得忽明忽暗。

这时候，你或许感觉自己已经与这片草原融为一体，就成了这万顷碧野上的一株小草、一滴晨露、一朵小花，甚至就是一只闲适觅食的羊儿，这样的感觉真好。

在草原上能够看到许多我们久违了的景色，那是一种什么样的感受，真的

很难让人说得清楚。

傍晚，草原上的落日不是落在山尖上，而是落在草丛中。它有着十分清晰的轮廓，散发着艳丽的红，没有杂色，天边的火烧云像是会把这草原点燃一样。

索性躺下，让周围的野草把自己淹没，浓浓的青草味扑鼻而来，侧身注视天边，夕阳透过青草把身体裹了一层光辉，那红红的落日似乎触手可及。有那么一刹那，你会恍惚觉得天地相接的地方，距离自己如此之近，那一刻，分不清哪里是天，哪里是地，自己究竟是舒展在草地间，还是飘在天上。就连那一片片燃着的火烧云，仿佛也挂在草尖上。

这景色美得让人凝神屏气，仿佛呼吸都会把这一切惊扰了似的。

偶尔，一只鹰忽然闯入视线，从青草间飞起，逐渐在余晖中不见踪影。

远处山丘上星星点点的羊群，渐渐由点到线、由线成片，酷似一片游走在青草间的白云。隐约间能听到牧人或短促，或悠长的吆喝声。这暮色来临前的草原，是那么美丽、和谐。

夜晚的草原的美，同样让人惊叹。满天的繁星闪烁，天和地像是连在了一起。夜晚草丛里的点点萤火，和夜空里的星星混在了一起，让人感觉这大地和草原，其实就是星空的一部分，如此清晰，又如此美丽。

流星拖着一道美丽的痕迹划过夜空，为所有热爱草原的人们带去美好的祝福。

格根塔拉草原旅游区（三）

寒冷的山梁辉腾锡勒

辉腾锡勒草原是典型的高山草甸草原，位于乌兰察布市察哈尔右翼中旗境内。“辉腾锡勒”，蒙古语意为“寒冷的山梁”，由于它地处蒙古高原的风口地带，使得它冬季寒冷、夏季凉爽。所以，每逢夏季，在呼和浩特附近，最红火的旅游区莫过于辉腾锡勒草原了。

驱车在盘山公路上盘旋上行，天空就在两山形成的峡谷间。因为这里是山

辉腾锡勒草原（一）

口，风力强劲，一年四季不停的劲风，把天空打磨得湛蓝湛蓝的，这里天空的颜色，毫不逊色于呼伦贝尔。

七月，正是辉腾锡勒草原最美的时候。此时风和日丽，阳光耀眼却不灼热，一个个明镜似的海子点缀在青草花海间。车子翻过最后一道山梁，草原上的风和煦地吹进车窗拂在额头。这时，眼前豁然开朗，辽阔的辉腾锡勒草原就这样映入眼帘，让人猝不及防。

车子行驶在广袤的草原上，透过车窗远远望去，一排排、一列列的风机比邻而立。抬头仰望，蓝天白云之下，机身高大耸立云霄，巨大的叶片翻动着云天。

辉腾锡勒草原是山花的海洋，远看青草如茵，走近了便能看到一丛丛、一簇簇的各色小花星星点点生长在草原上。山坡就像一张无边无际的花毯，顺坡势一直铺向湛蓝的天空。云卷云舒，明媚的阳光变幻着，山坡上草明草暗，天空低得触手可及。抚摸着花儿和青草，随意捡起落在草丛里的花瓣在手中把玩，顿时，从手心散发出一种沁人心脾的香气。

这草原上的山花并不娇贵，任凭人踩畜踏、牛羊啃食，但只要有一场雨，根部再分蘖，残枝再生长，不几天依然草绿花红香如故。

顺着斜斜的高坡一路而上，人便迅速被湮没在花海之中。

天上云卷云舒，地上草明草暗，天地相接之处云草相连，花海接着云，草海连着天。

这里的草原上有100多种山花，每年夏季，这里便成了花的海洋。黄花茎上的花冠就像一把张开的伞，随风摇曳；黄金茶开蓝花，散发着神秘的色彩；小柴胡的碎黄花就像散落在碧毯上的金粒；地梅花就像美丽的蝴蝶翅膀，花瓣上渲染出三层不同的红紫色；羊耳朵绽放的蓝色花朵毛茸茸的，让人忍不住想用手去抚摸；灯盏花绽着鲜黄的花蕊，风吹来，花粉四散；打碗花开得张扬，

辉腾锡勒草原（二）

粉红色花朵一串串，尽显风流；绒绣球花开得霸道，它浑身枝叶长满针刺，高扬着蓝色刺球，在草丛中目空一切；地姣姣匍匐在地，紫色小花毫不起眼，但它散发着浓烈的香气，让人一走近它顿觉花香沾衣；更有那花中皇后山丹丹，花开六瓣，鲜红耀眼，艳压群芳。

人站在铺满鲜花的草坡上，回望来时的路，路已淹没在绚丽的花海里。索性席地而坐，周遭花香浮动，看着火红的晚霞，听着草丛中的虫鸣，感觉自己是在天堂以一种出世的眼光俯瞰着大地，仿佛所有的风来云去，所有的尘世恩怨都已经与自己无关了。只有这身边的花海，还有夕阳下渐渐拉长的影子，还在与自己一起守着这远离尘世的夕阳轻风。

暮色来临时，辉腾锡勒草原一片静谧。黄昏中的海子，连片的青草，还有那青草中的花儿，都在此时独自美丽着。夕阳把照射在一座座风机上的金光和镶嵌在云朵上的金边慢慢地收起，天空中开始出现点点星光，草原上的夜晚就这

辉腾锡勒草原（三）

样来临了。

辉腾锡勒昼夜的温差很大，摄影圈的朋友说，假如能耐得住这里夜晚的寒冷，就能欣赏到草原美丽的星空。

没有了游人的嘈杂声，便感觉这夜色与自己是如此亲近。从未见过如此多的星星，在深蓝色的夜空中争先恐后地闪烁着。远处蒙古包和风电场亮起的灯光一丛丛、一簇簇，天上的星光与地上的灯光遥相呼应。

夏日的月亮出来得很晚，但一出来就非常明亮,那月亮似乎行走在草尖上。传说草原就是月亮的家，而我们就生活在月亮之上。星光中，辉腾锡勒草原纯净得如一块水晶，没有尘世中的污秽，素洁而美丽。

夏夜里的辉腾锡勒草原，海子是宁静的，草原是宁静的，白天所看到的那些花儿也都静静无语了，就连那一排排的风机也在毫无声息地转动着，整个世界仿佛都静止了。皎洁的月光下，金茶花、打碗花、山丹丹都被罩上了一层朦胧的影儿，比白天更妩媚、更美丽。微风吹来，花儿摇曳着曼妙的身姿，俯身亲吻着青草。

夜空中有云飘来,遮住了月儿的光。这个时候，伴着马头琴悠扬的旋律，不知从何方传来那首优美动情的《陪你一起看草原》。歌声飘上夜空，拽住了几片过路的云彩，这样的时刻，在俗世的风尘里浸泡得太久的心弦，是经不住这旋律的弹拨的。夜色中，马头琴的旋律已带着自己的灵魂先于肉体，踏上了回家的路。

寻梦之旅乌拉盖

乌拉盖草原因乌拉盖河得名，地处锡林郭勒盟、兴安盟和通辽市三盟市的交界处，有“天边草原”的美誉。

乌拉盖草原不仅以美丽著称于世，其历史文化资源也非常丰富。位于乌拉盖管理区的乌拉盖河与其支流色也勒吉河汇合处,就是一处闻名的古战场遗址。据记载，成吉思汗在统一蒙古诸部的战斗中，在这片神奇的土地上，歼灭了宿

乌拉盖草原上的雕像

敌塔塔尔部，为统一蒙古大业扫清了一个巨大的障碍。

乌拉盖管理区内有原始草原、湖泊、湿地、白桦林等风景，有布林庙、农乃庙、成吉思汗边墙、固腊卜赛汗国际敖包等历史文化遗迹，还有独特的乌珠穆沁蒙古族民俗风情文化。

乌拉盖草原是世界上保存最完好的天然草原之一，属于森林草原向典型草原过渡地带，以典型草原为主，草原可利用面积 4618 平方公里。

因为乌拉盖草原具有完好的草原生态，草原上不仅狼多了起来，马鹿、黄羊等有时也成群出现，乍一来到此地的游客都会很惊讶，这一马平川的草原上，哪里是它们藏身的地方呢？据当地人说，草原东部的大兴安岭就是它们栖身的地方。

草原上最美的景色，除了夏天的绿野，就是秋天的金黄了。深秋时节的傍晚，车子行驶在乌拉盖广袤的大草原上，暮归的牛羊成群，好像大片的云朵涌向天际，夕阳把车子的影子投射在路旁的草地上，忽长忽短的影子，像只小甲虫似的跃动着与我们一路同行。望不到头的草原小油路，随着车子的行进渐渐地变成一条黑色的锦缎，起伏延伸至天边。

镶着金边的火烧云布满天空，辽阔的大地一片沉寂，静静地听着风掠过车窗的声音，天空中的月亮渐渐明晰起来。有些草场上的草都已收割了，能看到路边的草地上排列着金黄的草垛，路上不时有装满草垛的四轮车或马车来来往往，没人看管的羊群，正在

井然有序地踏上暮归的路。当地的朋友介绍说，这里的羊群不需要人看管，每群羊中都会有几只肥大的山羊带路，把身后的羊领回家。

一路前行，广袤的草原看不到一处村庄，看到的只是相距很远的牧点。在草原上,如果突然发现有一群牛羊出现，仔细看必定会有一处牧点。那一座抑或两座牧民的房子，就隐藏在山背后或草原的深处，这更加增添了草原的寂寥与空阔。

金莲川上都城

锡林郭勒盟上都镇东北约 20 公里处的闪电河北岸，是正蓝旗与多伦县之间的金莲川草原，元上都就位于这里。1256 年春，忽必烈命人在桓州以东、滦水以北兴筑新城，名为开平府，作为藩邸。1263 年，升开平府为上都。

驱车进入金莲川草原，眼前是一片一眼望不到边的开阔地，四周群山环抱。车子在公路上快速行进，进入景区的大

上都城地标

门，就到上都外城郭的遗址了。

站在外城遗址上眺望，这里的地势为“五龙戏水”，“五龙”是指周围的五座山脉。站在这里远眺，在秋日明媚的阳光下，能十分清晰地看到这些山脉的走向。“水”便是闪电河了。

上都城作为元朝的陪都夏宫，元朝皇帝每年夏季都要率领重要的王公大臣来这里避暑和处理政务，因此，他们将这宫城建成了园林式的离宫别馆。

元时的上都城分为外城、内城和宫城，外城周长近 20 里。内城为皇城，外城为市区，宫城则是供皇帝后妃们起居之地。城内有官署 60 多所，寺庙 160 余处。1358 年，一路红巾军一把大火焚毁了它，而后也经历了数次重建，但建筑规模一次比一次小，直至缩小到原来宫城主要建筑的大安阁附近。所以，如今仅存的大安阁遗址还是非常清晰的。

如今，考古学者们已在此遗址上发掘出了大殿的根基，一条条长方形的花岗岩基石，显于高台的土石之上，细细观察，那美丽的凿痕花纹依然鲜活如初。那些被湮没在荒草和泥土中的各色琉璃瓦，被雨水冲刷露出地表，仍有古色古香之韵。不难想象，这巍峨的宫殿，其雕栏玉砌、朱门飞檐的精美雄浑并不亚于唐宋时期的建筑。只是可惜，这一切转眼间都成废墟了，秋风劲吹的时节，它们在这塞外的一川荒草蓬蒿间瑟瑟伫立着。

上都城的遗址呈正方形，如今看到的南大门，还存有一些原来的形状，它

元上都遗址

的中轴线与元大都的中轴线仅仅差了3米，元朝工匠们的精湛技艺，不能不让人为之惊叹。

水利工程专家郭守敬曾在这里建有完备的水利防火设施，当年他在上都设计修建铁幡竿渠，将山洪引入滦河。如今站在这废墟的高处向西北方向眺望，在那宽约一公里的山口间，有一处深褐色的拦洪坝体遗址，那是我国北方草原上保存较为完好的古代水利工程，也是郭守敬留给人们的永久的纪念。

历史如烟，光阴如梭，当年的上都城曾是商贾工匠云集、车马繁荣兴盛，并有着10多万人口的喧嚣城市，而如今只剩下这一川荒草、一座座的烽火台诉说着历史。保存完整的外城墙墙体上横斜着长出一株老榆树，鳞干虬枝，古朴沧桑。老榆树的树干枝条上被人系上了红红绿绿的布条，当地人经常在这里进行祭拜，祈盼风调雨顺。

群山环抱，风吹草低见牛羊，闪电河泛着粼粼波光，屏息静听，空中传来云雀的鸣啭，似乎也听到了不知从何方传来的儿马子悠长悲壮的嘶鸣，在这寂寥的金莲川上久久回荡。

清风夹带着牧草的芬芳扑鼻而来，盛夏里阳光灼热耀眼。看看已成废墟的上都城，想想这样也好，这废墟归还了金莲川原本旖旎的风光。

如诗如画乌兰布统

“乌兰布统”系蒙古语，意为“红色的坛形山”，位于内蒙古赤峰市克什克腾旗与河北围场满族蒙古族自治县交汇处，这里属于丘陵与草原交错地带，丘陵台地、林木草原相互交错，成就了其迷人的欧式草原风光。

乌兰布统花海

春天，这里万物复苏、绿草如茵；夏季，这里百花争奇斗艳、百鸟自由翱翔；秋季，这里层林尽染、牛羊肥美；冬季，这里银装素裹、分外妖娆。

是上天的赐予，是造化的神奇，是大自然的鬼斧神工造就了多姿多彩、如诗如画的乌兰布统大草原。乌兰布统有辽阔的草原、幽静的白桦林、世界珍稀

树种沙地云杉；有包括滦河源头、金莲花滩在内的6万亩湿地；有乌兰布统古战场、将军泡子、十二座连营、佟国纲墓……悠扬的马头琴声，向您倾诉着历史，向您敞开它博大的胸怀。

人到乌兰布统，风景就在路上。随着车子的一路行进，在路两边的山坡上，有此地独具特色的白桦树。白桦树成林时密不透风、遮天蔽日，一朵朵白云仿佛就匍匐在那绿莹莹的山坡草地上；稀疏时三五一簇、几十棵成丛，点缀在万顷碧野之间。无规则排列的道道绿丘，或隐在茂密的白桦林中，或显在纵横密布的绿毯之间。时有一两座红瓦尖顶木屋被青草簇拥着、被丛丛白桦林遮掩着映入眼帘，把这美丽的乌兰布统草原装扮得如梦如幻。

夏日的阳光被朵朵游弋的白云遮挡着，草原上明明暗暗。那漫山遍野的山花，正在热烈而绚烂地绽放着，似乎有一只神来之手，在大甸子和山坡上织出一块块五彩缤纷的锦缎，在

乌兰布统战场遗址

蓝天白云、青山碧水的衬托下，酷似一幅幅绚丽多姿的欧式油画。

乌兰布统草原十几天就会换一茬花色，这次来是黄色，过十几天再来就成了粉色或红色，每一茬都以主打花种的颜色为主色调，其余各色陪衬其间。那些叫不出名字的各色山花，全然不顾这旷野的寂寥，绚烂地绽放着，在四季轮回中，岁岁如期而至。

在草原上漫无目的地游荡，累了，就想在这乌兰布统夏日阳光里，做一个长长的白日梦，不刻意为谁守候，不期盼与谁邂逅，就想着能在自己的心中架起一座桥梁，踩着脚下松软的青草，毫无牵挂地走向梦的那头。

金莲花滩上，金灿灿的花儿热烈而绚烂地绽放，在周遭一片绿色的海洋中，它就像一块巨大的金色魔毯，云影浮动间，从明黄到暗黄，从金黄到浅黄，交错变幻着。这仿佛不是幻觉，也不是梦境，自己就真的在此一步踏进了时空的隧道。当年康熙大帝在此指挥清军大战噶尔丹，数百年之后，今人在此拍摄《康熙王朝》，这样的轮回，想想都很神奇。

吐力根河，蒙古语意为弯曲狭窄的河流，发源于乌兰布统漠海恩都尔山西麓，这里被称为滦河的源头。河上建有一座窄桥，桥的两头有“内蒙古滦河源头”和“河北滦河源头”石刻，从吐力根河桥头左转，就有宽敞平实的柏油公路通往月亮湖景区。

车子在驶下一道大大的山坡后就能看见月亮湖了，在其北面松林的映衬下，一潭湖水酷似一块晶莹剔透的蓝宝石。立于湖畔的草坡上眺望，四周是隆起的座座绿丘，优美的弧线勾勒着不规则的湖岸。想是这湖水美丽得堪比天上的月亮吧，因此有了如此美丽的名字。

在坝上夏日的夕阳下，月亮湖静美得如尚在沉睡的少女。傍晚时分湖面上开始泛起的薄雾酷似一层轻纱，令人不禁放慢脚步，去欣赏它的美丽。轻轻地走在湖畔湿地的灌木丛中凝视天空，天

《康熙王朝》拍摄地

空中白絮状的云朵正在渐渐地变幻着颜色。夕阳像个圆圆的火球，将西边的天空烧得通红，那一朵朵火烧云逐渐亮起来，这一切都被倒映在湖中，湖水也通红透亮，让人一时难以分辨出哪里是天空，哪里是湖水。在湖的东北两侧的松林之中，有白色的蒙古包和红色的小木屋点缀其间，身后就是月亮湖著名的百花坡，晚风拂来，阵阵芬芳直沁心脾。

《静静的艾敏河》拍摄地

夕阳西下，万籁俱寂，各色的鲜花开满了月亮湖畔。静静地畅想于静谧的天地间，想象着那些已经逝去的青涩流年，是不是曾经的童年幻想，总会容易在心灵纯净的时候悄悄回溯，会常常期冀着，能在生命的旅程中，为自己历经沧桑的心灵寻觅一处美丽的地方。搭一顶盛满清风的帐篷，在蓝天白云之下席地而坐，在湖光山色之中望云卷云舒，看花开花落，就像这草原上的风儿一样，了无牵挂。

水草丰美贡格尔

去贡格尔吧，到了贡格尔，才知道什么是草原。

雨水充沛的年份，贡格尔草原上到处都是风吹草低见牛羊的景象。贡格尔草原西临辽阔的锡林郭勒大草原，与锡林郭勒大草原比起来，贡格尔草原是秀丽的。大兴安岭脚下的贡格尔草原，始终保留着草原那种原始的美。

驱车进入贡格尔，车窗外便是一片绿色了。极目远眺，那无边的平地是绿的，那蜿蜒曲折的小溪是绿的。

近处和远处的马群、牛群和羊群，

还有阵阵马头琴琴声，给草原增添了无限的生机。草原深处的三三两两白色的蒙古包，包上升起缕缕的炊烟，使草原多了些烟火气。

贡格尔草原上有一条河，映着夏日的光辉，宛如一条白丝带游荡在那万顷碧野中。它不是贡格尔河，而是贡格尔草原上最著名的耗来河。“耗来”为蒙古语，汉语意为“嗓子眼”，耗来河意为像嗓子眼一样细的河。耗来河全长17公里，平均水深50厘米，一般只有十几厘米宽，最窄处仅有几厘米，放一本书就可以当桥，所以当地人又称它“书桥河”。

贡格尔草原深处竟然能有这样一条河在这千百年的时光里存在着，无论春夏秋冬，不管日出日落，不竭流淌着，让人觉着不可思议。

贡格尔草原是美丽的，贡格尔草原是神奇的。

在正午时分的阳光照射下，远远望去，笔直平坦的路面被蒸汽晕染着通向远方。这里是贡格尔草原的腹地，路两边被青草覆盖，不见一点裸露的沙地。

夏末的贡格尔草原，草尖上开始泛着淡淡的黄，草地如一块闪着金丝光泽

草原上的蒙古包

的锦缎，漫过远方连绵起伏的丘陵，一直到天的尽头，也进了人的心里。头顶上湛蓝、没有一丝杂质的天空，和眼前这片纯净的、没有一丝尘埃的草原，在那天和地的尽头连在一起，远远地望着，已经很难分得清哪里是绿、哪里是蓝，哪里是草、哪里是天了。

贡格尔草原留在人们心中的是无尽的美丽、纯净、遐想和赞叹。

这就是贡格尔，芳草碧连天。

贡格尔这个名字，来自一条弯弯曲曲的河，它就是流淌在贡格尔草原上的贡格尔河。一路上，贡格尔河会常常从车窗外闪过，在车里看不到河水的流动，看到的只是弯弯曲曲的曲线。

贡格尔草原上没有过多的现代化旅游设施，有的只是那原始的草原风光。那漫山遍野的牛羊，便如珍珠撒在辽阔的草原上，顷刻间不见了踪影，只留下花儿碰着花儿、草尖吻着草尖了。

好一个美丽自然的贡格尔！

代钦塔拉五角枫

兴安盟科尔沁右翼中旗代钦塔拉草原上的五角枫，是世界上最美的枫叶之一。

在兴安盟，只有在代钦塔拉草原沙地上的一小片区域内，才集中生长着代钦塔拉五角枫，有人曾多次将其移栽到其他地方，但均未能成活。这个树种的神奇之处在于其他的枫叶多为三裂，而代钦塔拉草原上的五角枫叶竟为五裂，故被人称为“五角枫”。

五角枫（一）

清代的科尔沁右翼中旗人杰地灵，曾有公主下嫁于此。面对茫茫草原、朔风烈马，从小就生长在紫禁城里的公主难免怀念故土，因为公主非常喜欢京城的红叶，奴仆就有意在此撒下京城枫树的种子。但由于天气、土质的差异，导致物种变异，树叶生出五角形状。从此，一片绝美的五角枫林便落户在了代钦塔拉草原上。

代钦塔拉草原五角枫景区就在草原大通道的路边，秋日里的代钦塔拉草原金黄一片，像一块巨大的金丝地毯。天是那么明净高远，片片云朵游弋着，白得像雪，在草原上投下或明或暗的影。来到这里，才知道什么是心醉蓝天，什么叫云卷云舒。

登上路旁的高坡，不远处高低起伏的草地上，散列着一株株或为蘑菇状，或为伞状的树木，繁茂的树叶红的、黄的、绿的一片，一下子把人的目光夺去，顷刻间把人的心俘获。走近了看，这些红、黄、绿集于一株树木之上；再仔细看，又是深红、大红、浅红、橘红、橙黄、鹅黄、墨绿、嫩绿色彩纷呈。有风吹来，枫叶摇动如彩蝶飞舞，一时间迷离了眼神，迷幻了心。

这些曾被寄托乡愁哀思的五角枫，在秋日里，在这片金色的草地上，被渲染得如此绚烂。行走在树林中环顾四周，平地间、半坡中、丘顶上，到处都是这缤纷的色彩，宛若置身于童话般的世界、梦幻般的仙境。

正午时分的代钦塔拉草原，太阳开

五角枫（二）

始散发出它那刺目的光。登上一处更高的山坡，视野更为开阔。俯视代钦塔拉草原上的五角枫林，碧水金沙蓝天白云，那情思不禁油然而生，在这山水间游移。

自然山水、人文传说，无一不是百看不厌的画卷。走进风景和风景背后的故事，惊喜就在你未曾期待的时刻突如其来。

呼伦贝尔大草原

美丽的呼伦贝尔大草原，是世界著名的草原之一，这里地域辽阔、风光旖旎、水草丰美，是世界上少有的绿色净土和生灵的乐园。一望无际的天然牧场，清新宁静，置身在美丽的大草原之中，令人心胸豁然开朗……

车子行进在清晨的呼伦贝尔草原，天空很蓝，大地很绿，没有一丝杂色。风儿拂进车窗，风声萦绕在耳畔。一阵微风吹过，青草忽俯忽仰，舞姿妙曼，层层碧浪涌向天边。朵朵白云似乎凝结一般，在空中一动不动。阳光将绿野照得深一块，浅一块，而无论颜色深浅，永远是本色。

中途停下车子，踏上一处高坡，纵目远眺，周围的一切一览无余。开阔的草地上，草鲜嫩、柔软，犹如一块巨大的绿地毯，一朵朵红的、黄的、紫色的小花绽放其中，一排排低矮、如荆棘般的小树，茂密、蓬松，好似镶在绿毯上的一道道花边。

一条不知名的小河闪着光，在远处悠悠地摇了几下腰，缓缓地流到脚下。远处的山、金黄色的沙漠、白蘑菇般的蒙古包，在阳光下显得十分耀眼夺目。一群群马儿、羊儿悠闲地散着步；矫健的牧民骑着枣红色的骏马，潇洒地驰骋在草原上；雄鹰在半空盘旋，是那么自信、悠闲。

云彩也是那么美，蓝天犹如巨大的蒙古包顶盖，而一朵朵分外洁白的云，千姿百态地缀在顶盖四周。一群群棕色的马、黑色的牛、白色的羊，如同散落在巨大绿毯上的珍珠。这里水量充足，除了牧场，还有大片的沼泽，上面生长着丛丛灌木。

车子驶入草原深处，公路两边的绿草随着起伏不平的山丘一直铺展到远方。山坡草地上有成群的牛羊，时而隐在绿

草原上的牧人

草间，星星点点，时而一片连着一片。

在行进间，公路一侧的高坡上，突然会有羊群进入视野，在一片绿毯似的山坡上，数千只肥硕的羊儿遮住了半个山坡。停下车来打算将这迷人的景致收进镜头时，这些羊儿们竟然像一片云似的飘到了山丘的那一边，无影无踪。

草原就是这样，惊喜总是在你毫无准备的时候出现。

《敖包相会》唱响的地方鄂温克

车出海拉尔区南行不久，就到巴彦呼硕了。一条起伏蜿蜒的马路，延伸进入鄂温克草原腹地，路边的青草被风吹拂着，翻卷着绿浪，远远地就能望见，葱绿的山丘仿佛是绿色的海洋。

20 世纪 50 年代北京电影制片厂在这里拍摄了《草原上的人们》，片中主题歌《敖包相会》正是从这里唱遍大江南北。敖包不远处的草坡上立有一块巨

草原上的敖包

石，上有“天下第一敖包”的题刻，语气中带着霸气。

午后的草原明媚阳光，站在刻有“天下第一敖包”的巨石旁，心底就会不由自主地飘出那首令人心动的旋律：“十五的月亮升上了天空哟，为什么旁边没有云彩，我等候着美丽的姑娘呀……”环顾四周，只有头顶上一两朵慵懒的白云飘在空中。

巴彦呼硕敖包所在的山丘，是鄂温克草原第一高冈，站在最高处东望，能看到苍莽的大兴安岭，而南面就是鄂温克族聚居的伊敏苏木，一个宛如世外仙境的草原小镇。

登上最高处举目眺望，大兴安岭如一条巨龙游走在天际。那发源于大兴安岭西麓的伊敏河，就像一条洁白的哈达，在草原上划出一条优美的弧线。转身回望鄂温克族聚居地的伊敏苏木，那些极具民族特色的居民建筑，像海市蜃楼似的出现在视线里。什么是真，什么是幻，已经让人难以分清了。

想去转一转敖包，又担心一不小心会踩到一片云。

走下高冈不远处，回头仰望，由于视角的陡直，偌大的巴彦呼硕敖包似乎就压在头顶。敖包两旁各分布着六个小敖包，敖包上挂着的各色哈达与经幡被风吹拂着、晃动着，转敖包的游人如拇指大小，仿佛游走在云里。

不远处的山顶上，是巴彦呼硕旅游区所建的蒙古包群，它们与一朵朵的白

敖包前赛马

云为伴，难以分清哪座是蒙古包、哪片是云。身着民族服饰的、当地旅游区的蒙古族女孩，沿着坡顶那优美的弧线，走在云与蒙古包之间,仿佛天上的仙子。

山坡下就是伊敏河冲刷出来的河谷，河谷里草木茂盛。伊敏河对岸草原上的牛羊若隐若现，再远处便又是高低起伏的山丘了。夏日的斜阳就挂在远处的山丘之上，把人的影子拉得长长的，风儿从谷底吹来，轻轻地拂在人的脸颊上。

这里美得令人心动，心底又涌起那首穿越世纪的歌，恍惚间，觉得倘若真的能与自己相爱的人在此相会一次，也是无比幸福的。

后记

在中国版图上，内蒙古自治区如厚实的脊梁挺立在北方。这里有壮丽神奇的自然风景、独具魅力的人文景观、特色浓郁的民俗风情、丰富多元的旅游文化；这里的人民团结一心，在中国共产党的正确领导下，沿着中国特色社会主义道路不断前进，经济社会发展实现历史性跨越。

内蒙古人民出版社组织策划的这套全方位展示内蒙古风采的《“亮丽内蒙古”文化普及口袋书》，在内蒙古自治区党委宣传部和内蒙古出版集团的精心指导和大力支持下，成功立项并入选“亮丽内蒙古”重点图书出版工程。能够参与丛书的编写，我深感荣幸，感谢内蒙古人民出版社给我提供了这样的机会。

由于时间仓促,加之笔者水平有限,书稿不尽完美，在编校出版过程中，内蒙古人民出版社民族历史文化读物出版中心的编辑老师付出很多心血，她们认真负责、精益求精，使丛书在短时间内保质保量出版，在此，对各位编辑老师表示深深的谢意。

希望这套口袋书可以向读者展示一个真实生动、色彩斑斓的内蒙古，让更多的人了解内蒙古、认识内蒙古、爱上内蒙古。

编者

2021 年 9 月于呼和浩特市